Y0-CAX-972

Edición publicada por Parragon en 2012

Parragon Books Ltd
Chartist House
15-17 Trim Street
Bath, BA1 1HA, UK
www.parragon.com

Traducción: Míriam Torras para Equipo de Edición, S. L.
Redacción y maquetación: Equipo de Edición, S. L., Barcelona

ISBN 978-1-4454-9814-0

Impreso en China/Printed in China

El hombrecito de mazapán

Texto de Louise Martin

Ilustraciones de Gail Yerrill

Había una vez un viejecito y una viejecita que vivían en una casa cerca del río.

Una mañana, la viejecita decidió preparar algo especial e hizo un hombrecito de mazapán.

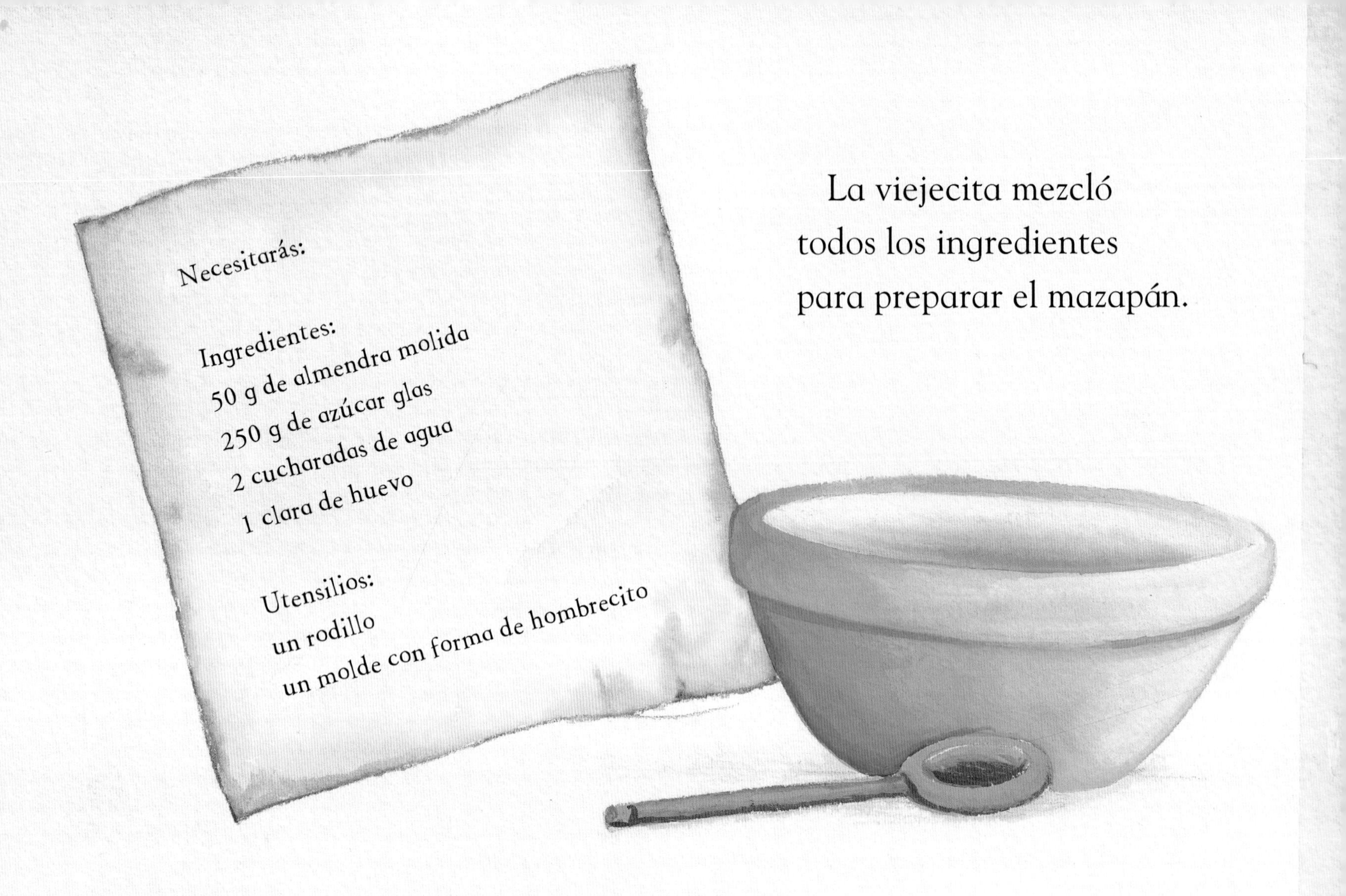

La viejecita mezcló
todos los ingredientes
para preparar el mazapán.

Luego aplanó la masa y,
con el molde, le dio forma
de hombrecito.

Finalmente, dibujó los ojos y la boca con glaseado y le colocó tres botones de pasas y una cereza como nariz. El hombrecito de mazapán estaba listo para ser horneado.

Media hora después, el hombrecito de mazapán estaba cocido y la viejecita abrió el horno.

De pronto, el hombrecito saltó y salió corriendo por la puerta de la cocina.

«¡Espera! –gritaba la viejecita, corriendo tras él–. Quiero comerte».

Pero el hombrecito de mazapán no se detuvo porque no quería que se lo comieran.

«Corre, corre tan rápido como puedas.

¡No me puedes alcanzar,

soy el hombrecito de mazapán!», exclamaba.

El hombrecito de mazapán pasó corriendo por el lado del viejecito.

«¡Espera! –gritó el viejecito–. Quiero comerte».

Pero el hombrecito de mazapán empezó a correr todavía más rápido.

«He escapado de una viejecita y puedo escaparme de ti», le dijo.

«Corre, corre tan rápido
como puedas.
¡No me puedes alcanzar,
soy el hombrecito de mazapán!»,
exclamaba.

El viejecito y la viejecita persiguieron al hombrecito de mazapán por todo el jardín, pero corría demasiado rápido.

Siguió corriendo y se encontró a un cerdo.

«¡Espera! –gruñó el cerdo–. Quiero comerte».

Pero el hombrecito de mazapán corrió todavía más rápido.

«He escapado de una viejecita y de un viejecito, y puedo escaparme de ti», le dijo.

«Corre, corre tan rápido como puedas. ¡No me puedes alcanzar, soy el hombrecito de mazapán!», exclamaba.

El cerdo persiguió al hombrecito de mazapán, seguido por el viejecito y la viejecita.

El hombrecito de mazapán pasó corriendo por el lado de una vaca que estaba en un establo.

«¡Espera! –mugió la vaca–. Quiero comerte».

«He escapado de una viejecita, de un viejecito y de un cerdo, y puedo escaparme de ti», gritó el hombrecito de mazapán.

«Corre, corre tan rápido como puedas. ¡No me puedes alcanzar, soy el hombrecito de mazapán!», exclamaba.

La vaca, el cerdo, el viejecito y la viejecita perseguían al hombrecito de mazapán, pero corría demasiado rápido.

El hombrecito de mazapán pasó corriendo cerca de un caballo que estaba en el campo.

«¡Espera! –relinchó el caballo–. Quiero comerte».

«He escapado de una viejecita, de un viejecito, de un cerdo y de una vaca, y puedo escaparme de ti», le dijo.

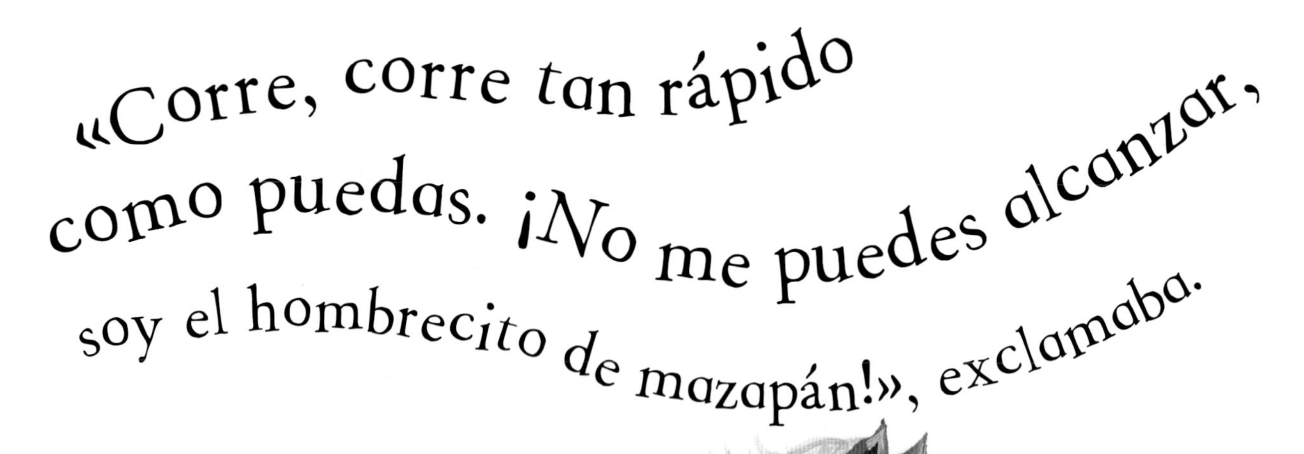

«Corre, corre tan rápido como puedas. ¡No me puedes alcanzar, soy el hombrecito de mazapán!», exclamaba.

El caballo persiguió al hombrecito de mazapán, seguido por...

la vaca,

el cerdo,

el viejecito

y la viejecita.

Pero el hombrecito de mazapán era demasiado rápido.

Entonces el hombrecito de mazapán llegó al río y se detuvo.

La cristalina agua se arremolinaba delante suyo.

«¡Oh, no! No sé nadar –se lamentó–. ¿Cómo cruzaré el río?».

Un astuto y hambriento zorro vio al hombrecito de mazapán y se relamió los labios.

«Sube a mi cola y te llevaré a la otra orilla del río», le dijo.

Entonces el hombrecito de mazapán subió a la cola del zorro de un salto.

A medio camino, el zorro dijo: «Pesas demasiado para mi cola, sube a mi espalda».

Entonces el hombrecito de mazapán corrió por la peluda cola del zorro y saltó a su espalda.

Un rato después, el zorro le dijo: «Pesas demasiado para mi espalda, salta a mi nariz».

Entonces el hombrecito de mazapán saltó a la nariz del zorro.

Pero tan pronto como llegaron a la orilla del río, el zorro lanzó al hombrecito por los aires,

cerró la boca

de golpe y lo

engulló.

¡Y este fue el final
del hombrecito de mazapán!

Fin